Nous remercions le ministère du Patrimoine canadien,
la SODEC et le Conseil des Arts du Canada
de l'aide accordée à notre programme de publication

  Patrimoine   Canadian
canadien   Heritage

 Conseil des Arts   Canada Council
du Canada   for the Arts

ainsi que le gouvernement du Québec
– Programme de crédit d'impôt
pour l'édition de livres
– Gestion SODEC.

Nous reconnaissons l'aide financière
du gouvernement du Canada
par l'entremise du Fonds du livre du Canada
pour nos activités d'édition.

Illustrations :
Julien Rivard

Montage de la couverture :
Grafikar

Édition électronique :
Infographie DN

Dépôt légal : 2e trimestre 2012
Bibliothèque nationale du Canada
Bibliothèque nationale du Québec

1234567890 IM 098765432

Prédictions pétillantes pour emporter

COLLECTION
PAPILLON

**DE LA MÊME AUTEURE
AUX ÉDITIONS PIERRE TISSEYRE**

Collection Papillon

Le combat des caboches, roman, 2010.
    Sélection Communication-Jeunesse et
    finaliste au Prix littéraire Hackmatack 2012.

**Catalogage avant publication
de Bibliothèque et Archives Canada**

Beauchamp, Marie

    Prédictions pétillantes pour emporter

    (Collection Papillon ; 177)
    Pour les jeunes de 9 ans et plus.

    ISBN 978-2-89633-203-8

    I. Rivard, Julien II. Titre. III. Collection : Collection
    Papillon (Éditions Pierre Tisseyre) ; 177.

PS8553.E171P73 2012   jC843'.54   C2012-940291-5
PS9553.E171P73 2012

Prédictions pétillantes pour emporter

roman

Marie Beauchamp

**ÉDITIONS
PIERRE TISSEYRE**
www.tisseyre.ca

155, rue Maurice
Rosemère (Québec) J7A 2S8
Téléphone : 514-335-0777 – Télécopieur : 514-335-6723
Courriel : info@edtisseyre.ca

1

Un fouillis révélateur

J'espionne souvent mon entourage. Pas pour voler des secrets, ça jamais ! J'essaie seulement de vérifier si les gens sont exactement les mêmes lorsque je ne suis pas dans les parages. Mon meilleur objet d'étude, c'est mon ami Simon. Quand je lui rends visite, j'entre dans sa chambre sur la pointe des pieds et je l'épie le plus longtemps possible. Je tente de savoir s'il garde toutes ses mimiques si comiques lorsqu'il se retrouve tout seul.

Aujourd'hui, je le surprends à quatre pattes dans sa garde-robe. On dirait une marmotte en train de creuser son terrier au beau milieu d'un dépotoir. De temps à autre, il se redresse, un objet à la main. Après avoir inspecté sa trouvaille, il la jette sur son lit et retourne à ses fouilles.

À pas de loup, je m'avance pour faire l'inventaire de ses découvertes : une armée de fourmis en plastique, un coffre à pêche et de la pâte à modeler jaune fluo. Lorsqu'une paire de palmes expédiée vers le butin frôle ma tête, je décide de signaler ma présence :

— Simon Surprenant qui range sa chambre ! On aura tout vu !

Entendant ma voix, mon camarade émerge de la barricade de vêtements qui l'entoure.

— Salut, Chloé ! Je ne fais pas le ménage, tu le sais bien. Je suis à la recherche de mon prochain tour...

Chaque dimanche après-midi, Simon se lance en quête d'inspiration. Il ne se présente jamais en classe le lundi matin sans avoir de nouvelles idées au fond de ses poches. C'est sa trousse de survie. Je dois dire que ses plans époustouflants rendent le quotidien de notre classe de sixième année beaucoup plus palpitant !

Ses meilleures inventions sont devenues des légendes à l'école Val-Bon-Vent. On parle encore de la toile d'araignée géante qu'il a tissée dans la bibliothèque, à partir d'une bobine de soie dentaire et de trois roulettes de ruban adhésif. Et à ce qu'on dit, les toilettes des garçons sont beaucoup plus élégantes depuis qu'il les a transformées en soucoupes volantes en les recouvrant de papier d'aluminium. Mon ami n'est pas seulement hilarant, il est aussi très ingénieux. Il nous l'a prouvé en installant des distributeurs de blagues sous les tables où nous dînons.

Je suis impatiente d'apprendre ce qu'il nous réserve cette semaine. Le voici qui s'exclame :

— Génial ! J'ai retrouvé mes vieux serpents en jujube de l'Halloween d'il y a deux ans ! Tu en veux un ?

J'échappe une grimace dédaigneuse.

— Non merci ! Tu peux les jeter à la poubelle.

— Jamais, quel gaspillage! Je les garde pour décorer la fontaine du gymnase.

Simon me lance le sac de friandises et retourne à sa chasse aux trésors. Cette acquisition ne semble pas satisfaire ses ambitions hebdomadaires. Après de nombreux «Wow!» et quelques «Ouch!», il réapparaît finalement, exhibant une belle boîte en métal argenté, ornée d'étoiles bleues.

— Ah, voilà! Je savais bien qu'elles se cachaient quelque part sous mes habits.

Simon a le regard étincelant de l'artiste qui vient d'avoir une idée de génie. Je ne peux pas deviner ce qui mijote dans sa tête, mais je prédis que la semaine qui commence sera mémorable.

— C'est le genre de contenant qu'on utilise pour enfermer des mystères, fais-je remarquer.

— Tu ne penses pas si bien dire...

Simon soulève lentement le couvercle et révèle... une collection de billes! De jolies boules de verre de toutes les couleurs, parsemées d'éclats brillants. Je me demande bien ce que ce joueur de tours compte en faire.

— Tu ne crois pas que tu es un peu vieux pour ce jeu?

Mon ami riposte:

— D'abord, mon grand-père joue encore aux billes. Ensuite, celles-ci ont une valeur bien spéciale, tu verras...

Il glisse sa main entre les petites sphères, les soulève et les laisse retomber lentement dans la boîte. On jurerait qu'il manipule de précieux joyaux.

— Regarde ma superbe collection de... hum...

Un plan s'élabore dans sa tête au fil de ses mots:

— ... ma collection de boules de cristal!

Simon saisit une bille entre ses doigts et la place devant son nez pour mieux l'observer. Ses pupilles louchent vers l'objet, déformant son visage de manière très loufoque.

— Cette semaine, ajoute-t-il, je me transforme en diseur de bonne aventure.

— Tu sais prédire l'avenir, toi?

— Pas encore, mais ce sera bientôt l'une de mes spécialités.

J'imagine alors Simon déguisé en bohémien, prêt à dévoiler les mystères du futur: foulard coloré sur la tête, larges

boucles d'oreilles et cape de velours. J'étouffe un fou rire.

Mon ami s'empresse de corriger ma vision :

— Je m'adonne à la bonne aventure nouveau genre. Pas de costume ni de flaflas, tu verras ! À elles seules, mes prédictions seront si fabuleuses qu'elles épateront toute la cour de récréation.

Du bout des doigts, il tambourine sur le couvercle de sa boîte en métal : la recherche d'astuces bat son plein. Un vent de folie s'engouffre dans la chambre de Simon Surprenant, annonçant une tempête de délire. Ce sont ces moments qui me rendent particulièrement heureuse d'être sa meilleure amie. J'aime penser que sans mes éclats de rire encourageants, ses plans ne seraient pas aussi extraordinaires!

2

Cobayes recherchés

En ce moment, je pourrais être en pyjama, en train d'engloutir un bol de céréales entre deux bâillements. Non! Me voilà plutôt à l'entrée d'une cour de récréation presque déserte. Pour me dégourdir dans l'air frisquet de novembre, je cours à la rencontre de Simon.

Assis sur une table de pique-nique, il m'accueille par une question:

— Est-ce que je peux voir le dessous de tes chaussures ?

Intriguée, je soulève mes pieds l'un après l'autre. Simon les observe et se prononce :

— Non, rien d'anormal. Je croyais que tes semelles s'étaient changées en briques, ce qui aurait expliqué ton retard… Madame l'escargot !

Ayant l'habitude de ces boutades matinales, je riposte du tac au tac :

— Si tu es en mesure de prédire le futur, tu n'avais qu'à consulter tes boules de cristal pour découvrir l'heure de mon arrivée !

Simon me lance un regard alerté et chuchote :

— Attention ! Ne déballe pas mes projets trop vite, tu vas gâcher l'effet de surprise. Viens plutôt m'aider à installer mon stand.

Il ouvre son sac d'écolier et en tire un grand rouleau de papier. J'en attrape l'extrémité et nous déroulons une longue banderole décorée à l'aide de marqueurs. On peut y lire :

VOTRE AVENIR SE CACHE DANS MA BOÎTE

Il nous a fallu plus de trois heures pour confectionner ce petit chef-d'œuvre. Nous n'avons pas chômé! Les idées et les couleurs ont déferlé pendant tout l'après-midi, hier, après la découverte du fameux contenant de billes.

À l'aide de cure-pipes, nous attachons solidement l'affiche sur la clôture qui borde la cour d'école. Lorsque Simon se rassoit à la table de pique-nique, sa réclame colorée est déployée juste au-dessus de sa tête. Quel effet saisissant! Les curieux auront tôt fait d'être aguichés.

Mon ami saisit son précieux coffret de billes et le place devant lui. Tout est prêt. Le terrain se peuple lentement: la plupart des élèves se précipitent vers les modules de jeux. Quelques-uns ralentissent et observent l'enseigne du diseur de bonne aventure.

Deux visiteuses brisent finalement la glace. Sophie Lafantaisie s'approche en trottinant, sa cousine Suzie collée aux talons. Elles n'ont d'yeux que pour le joli boîtier étoilé.

— Salut, Simon! lance Sophie. Dis-moi, qu'est-ce que tu caches là-dedans?

Le farceur cuisine son mystère : il relève les sourcils, fixe ses deux petites spectatrices pendant quelques secondes, effleure le coffret avec son index et chuchote, comme s'il s'agissait d'un secret d'État :

— Là-dedans, il y a des réponses aux questions que vous ne vous êtes même pas encore posées !

Sophie arbore un large sourire ravi.

— Tu peux nous révéler l'avenir ? Mais c'est fabuleux ! s'exclame-t-elle.

— Ah ! Comme les métérorologistes du journal télévisé ? s'informe Suzie.

Je la corrige :

— Les météorologues, tu veux dire. Eux, ils prédisent la température, pas le futur.

— La météo ne m'intéresse pas trop, mentionne Simon. Je travaille plutôt dans le sensationnel : je découvre les bouleversements qui rendront votre destin aussi pétillant qu'un feu de Bengale ! Stupéfaction garantie !

Une petite foule se compose lentement. Cette dernière phrase a fait naître quelques lueurs dans les regards intrigués.

Soudain, un commentaire complètement inattendu assombrit la scène :

— Il ne peut rien arriver d'excitant quand on passe ses journées dans une école aussi médiocre. Tu vas nous raconter des mensonges, c'est certain.

Je me retourne pour identifier l'auteur de cette petite bombe qui vient ébranler les plans de Simon. Martin Michagrin affiche l'air blasé qui ne l'a pas quitté depuis qu'il est déménagé dans le quartier, il y a un mois. Pas étonnant que je n'aie pas reconnu sa voix : il parle rarement. Habituellement, il se contente de nous ignorer, les yeux fixant le sol, les mains dans les poches.

Les idées noires de Martin se propagent dans la foule, comme des gouttes d'encre échappées dans un verre d'eau.

— C'est vrai que la vie d'une fille en deuxième année, comme moi, n'a rien de captivant, soupire Suzie. Entre les devoirs et les brossages de dents, j'ai l'impression que mon histoire pourrait s'écrire en une seule phrase, tellement elle est endormante.

J'adresse un air contrarié à Martin, mais il ne m'accorde aucune attention. Il n'a probablement pas remarqué le ravage qu'il vient de provoquer dans le public de Simon. Pour celui-ci, le défi grandit : difficile de créer des étincelles à partir d'un pétard mouillé! Mais mon meilleur ami n'entend pas baisser les bras. Il interpelle Suzie d'un ton dynamique :

— Tu te trompes drôlement! Permets-moi d'ouvrir cette boîte pour toi...

Comme Simon glisse ses ongles sous le contour du couvercle, Suzie nous surprend en s'animant d'une terreur soudaine.

— NON! Simon! Laisse mon avenir enfermé!

Notre diseur de bonne aventure est légèrement abasourdi par l'attitude de sa première cliente. Mais il n'en fallait pas moins pour alerter une bonne partie de la cour d'école : les témoins se multiplient. Simon obtient enfin le public qu'il espérait.

Il saisit la balle au bond et commence par rassurer Suzie :

— Je te promets qu'aucun tigre enragé ou vampire assoiffé ne surgira de cette boîte.

— Je le sais bien, répond Suzie, mais tes révélations me font quand même peur. Tu pourrais m'annoncer des malheurs !

Simon croise les bras, relève le menton et dit, comme s'il déclamait un proverbe universel :

— Si la crainte te paralyse, tu fermeras les yeux devant mille surprises. Qui ne regarde pas vers demain pourrait bien se tromper de chemin.

Dans la foule, je capte des murmures d'approbation : « Bien dit ! »; « Bien vrai ! » Simon se tait, satisfait de passer pour un sage.

Une moue sceptique reste accrochée aux lèvres de Suzie. Au fond de moi-même, je dois admettre que je partage ses réserves : si les jours à venir devaient m'apporter de mauvaises nouvelles, je n'aurais pas envie de les apprendre plus vite que prévu.

Après quelques secondes de silence, le farceur relance son appât :

— Qui voudrait un aperçu de sa destinée ?

Le silence persiste dans l'assistance. Comme je m'apprête à rescaper mon meilleur ami en levant le petit doigt, Sophie Lafantaisie fait tomber la tension en s'avançant d'un pas résolu. Ouf! Me voilà libérée d'une lourde obligation.

— Moi! crie-t-elle. Moi! Moi! Je souhaite voir ce que ta boîte me réserve!

Simon se frotte les mains, tout heureux, et commence sa prestation:

— Bravo, Sophie! Que voudrais-tu savoir sur ton avenir?

Les idées foisonnent dans la tête de notre jeune camarade et elle les dévoile d'une traite, sans même reprendre son souffle une seule fois:

— Vais-je voyager? Qui viendra à mon anniversaire? Est-ce que ma tante Christine retrouvera son chat Frimousse? Comment s'appellera mon premier cheval? Vais-je enfin capturer la fée des dents? Quelle sera la couleur de mes prochaines mitaines?

Pour échapper à ce tourbillon de questions, Simon soulève lentement le couvercle de son contenant. Des «Ça alors!» et des «Hein?» accompagnent son geste. En mélangeant ses billes du bout du doigt, il déclare:

— Chacune d'elles contient une parcelle de destin. Choisis celle qui te parle.

Sophie se rapproche de la table, totalement emballée.

— Elles sont petites, commente-t-elle en fouillant dans les bulles de verre.

— Oui, admet Simon. Tout devient miniature de nos jours, des ordinateurs aux lecteurs de musique, en passant par les boules de cristal.

Sophie s'empare d'une sphère bleue, presque translucide, qu'elle dépose dans la main du diseur de bonne aventure. Les yeux de Simon retournent côtoyer son nez, et je dois retenir mon souffle pour ne pas laisser échapper un grogne-ment ricaneur.

Autour, les élèves communiquent par des regards interloqués ou amusés. Seuls les sifflements ironiques de Martin brisent le silence. Enfin, d'une voix caverneuse qui me rappelle le jour où il s'est fait passer pour le fantôme de l'ancien concierge en utilisant l'interphone de l'école, Simon révèle sa prédiction :

Sophie Lafantaisie se réjouira
        [d'une rencontre inouïe,
lorsqu'elle sera interpellée
        [au beau milieu de la nuit.

Quelques gloussements traversent la foule. Sophie sautille de joie, tandis que le devin referme sa boîte. Au même moment, la cloche sonne, comme si c'était prévu.

La suite des événements me préoccupe, surtout depuis la réaction paniquée de Suzie. Tout en marchant pour gagner le rang de notre classe de sixième, je fais part de mes craintes à mon meilleur ami.

— Simon, es-tu certain que tes histoires ne feront peur à personne ?

— Bien sûr que non !

— Qu'est-ce que tu vas organiser pour Sophie, alors ?

— Rien du tout.

Je n'en crois pas mes oreilles.

— Rien du tout ?

Il ajoute, comme s'il s'agissait d'une évidence :

— J'ai dit que j'allais prédire l'avenir, pas que j'allais le réaliser !

Cette réponse me laisse pantoise. Moi qui croyais que Simon allait maintenant s'amuser à trafiquer les fils colorés de ce destin tout inventé ! Je hausse les épaules en soupirant. Tant pis ! Je dois me résoudre à faire confiance aux intuitions de Simon.

3

L'abominable
rencontre

Mardi matin, lorsque j'entrouvre la porte de la maison de la famille Surprenant, je trouve Simon en train d'enregistrer un nouveau message pour le répondeur :

— Bonjour, vous êtes bien chez les Sacripant. Nous sommes partis pêcher des calmars géants. Chantez-nous votre chanson préférée en vous bouchant le nez ou raccrochez!

Je me demande si les parents de cet indomptable farceur reçoivent beaucoup de messages téléphoniques. À mon avis, on devrait décerner à monsieur et madame Surprenant le grand prix international de la patience.

Simon attrape ses effets scolaires et nous partons pour l'école au pas de course. Avec un peu de chance, nous serons les premiers à interroger Sophie. Nous filons jusqu'à la cour de récréation sans reprendre notre souffle, mais quand nous arrivons, il est déjà trop tard. Elle placote au milieu d'une quinzaine d'élèves, la plupart étant de sa classe de deuxième année. À la voir gesticuler, il semble bien que la nuit dernière s'est avérée fort animée.

— Je savais bien qu'elle servirait ma cause, glousse Simon.

Je remarque Martin Michagrin rôdant parmi les curieux. Comme un fantôme, il traverse la bande sans vraiment en faire partie. Son attitude détachée me dérange. J'ai l'impression qu'elle signifie : «Veuillez noter que je m'en fous.»

Simon n'a que faire des grands airs de Martin. Il s'introduit dans le petit groupe. La scène augure bien pour notre devin amateur.

Suzie l'accueille en s'exclamant démesurément :

— Simon ! Tu ne devineras jamais ce qui est arrivé à Sophie, à 1 h 43 cette nuit !

— Je pourrais l'apprendre dans une boule de cristal, mais je préfère l'entendre de la bouche de notre courageuse héroïne, affirme mon ami.

Sophie rougit de contentement et reprend son témoignage du début :

— Perdue dans les ombres de ce qui devait être notre salle à manger, je suis tombée sur... l'abominable gnome des fraises !

— Quelle horreur ! Elle aurait pu se faire dévorer ! s'inquiète Suzie.

— Mais non ! rétorque la narratrice, c'est un gnome, pas un monstre !

Sa cousine n'a pas l'air convaincue :

— Il provient quand même de la famille des Abominables. C'est toi-même qui l'appelles ainsi.

Sophie roule les yeux, prend une grande respiration et s'explique :

— J'avoue qu'il est plutôt laid, même carrément dégoûtant. Il habite dans un terrier, entre notre boîte à compost et notre potager. Chaque fois qu'il pleut, l'abominable gnome des fraises se roule dans la gadoue pour entretenir son teint de glaise. Il est tout barbouillé !

Une foule s'agglomère autour de la raconteuse. Je lui lance une question pour la pousser un peu plus loin dans son récit :

— Il s'alimente de fraises, ton nouvel ami ?

Elle me fixe dans les yeux et répond :

— Non ! Il préfère les chenilles. Il y en a une vraie colonie en-dessous de nos fraisiers, à ce qu'il dit. Quand il repère les trous qu'elles découpent dans le feuillage de nos plants, il les aspire à l'aide d'une paille : slup, slup, slup ! Parfois, il les fait mariner dans les vieilles chaussures de mon père, pour les attendrir.

J'ai l'habitude d'entendre des histoires abracadabrantes, puisque je passe mes temps libres en compagnie de Simon Surprenant. Pourtant, les bras me tombent lorsque Sophie nous confie l'existence de ce personnage improbable, terré dans le sous-sol de sa cour. En plus, elle nous relate tout ça sur le ton qu'elle prendrait pour décrire sa dernière visite chez le dentiste.

Autour de moi, les élèves sont partagés entre la surprise, le doute et l'amusement. Les réactions varient, s'étalant de «Fantastique!» à «Pas possible!»

— Si c'est un gnome, il ne doit pas être très grand, avance Simon.

Sophie réfléchit un instant et précise:

— Le bout de son bonnet, qu'il a taillé dans un sac d'épicerie, arrive juste en dessous de mes genoux.

Cette nouvelle semble rassurer un peu Suzie, que toute cette histoire de rendez-vous dans l'ombre a rendue très agitée.

— Tu es quand même brave, souffle cette dernière, puisque tu ne savais pas quelles étaient ses intentions.

— À propos, Sophie, qu'est-ce qu'il te voulait, l'abominable gnome des fraises? s'enquiert Simon.

Sophie écarte les yeux, revivant l'extase de la rencontre, avant de nous annoncer :

— Il voulait la recette de sorbet de ma mère ! Depuis plus d'un an, il m'espionne en espérant avoir l'occasion de me poser la question. Il prépare des desserts spéciaux pour célébrer son cent douzième anniversaire... Plusieurs à base de chenilles, évidemment.

Quelques élèves tournent au vert, alors que la rigolade gagne la petite foule qui nous entoure. La cloche sonne le début de notre journée d'école.

— Passons à la prochaine platitude, marmonne Martin, quittant la clôture à laquelle il s'était adossé.

Le grand garçon solitaire se traîne les pieds comme s'il transportait un boulet de condamné. Je ne comprends pas qu'il puisse rester aussi maussade, après avoir écouté comme moi les propos loufoques de Sophie. D'ailleurs, son humeur contraste avec la gaieté générale qui s'est répandue autour de la petite raconteuse. Tous les élèves sauf lui se dispersent joyeusement pour gagner les rangs.

Simon et moi suivons les deux cousines qui bavardent tout en marchant.

— Tu n'as pas eu la frousse? questionne Suzie. Même s'il faisait noir comme chez le loup?

— Pourquoi j'aurais eu peur? se demande Sophie. Le loup n'habite pas chez nous! Et puis, même s'il est crotté, notre gnome est tout à fait charmant. Cette incroyable rencontre ne m'a même pas réveillée.

Simon m'adresse un clin d'œil qui sous-entend: «Je m'en doutais bien.» Sophie n'a pas menti... Elle a simplement rêvé tout ce qu'elle vient de nous raconter.

— Dans ce cas, ta prédiction ne s'est pas réalisée, lui fais-je remarquer.

— Bien sûr que si! s'exclame le diseur de bonne aventure. Je n'ai jamais spécifié si mon présage se déroulerait en rêve ou dans le réel. Sophie a vraiment fait une rencontre des plus inouïes, il n'y a aucun doute là-dessus. En plus, elle a fait ce rêve au milieu de la nuit, comme je l'avais prédit. Me voilà maître dans l'art de la divination!

En pâmoison, Suzie lui lance un de ces regards... Je crois bien qu'elle accepterait de nettoyer ses pieds à l'aide d'une brosse à dents, s'il en manifestait l'envie. Simon ne dédaigne pas cette admiration. Je déclare, avec un soupçon d'ironie :

— Donc, Monsieur l'expert, une bonne prophétie se doit d'être floue pour qu'on puisse en faire ce que l'on veut ! J'ai tout compris ?

La bouche de Simon s'étire dans un sourire espiègle.

— Peut-être bien que oui, Chloé.

4

Le grand sceptique

Alex Legrand peut renifler le succès à des kilomètres à la ronde. Je ne suis donc pas surprise de le voir pointer son nez d'écornifleur au stand de Simon cet après-midi, maintenant qu'une longue file d'élèves de toutes les tailles patiente devant.

— Venez! Tirez au hasard votre boule de cristal! Laissez Simon y déchiffrer votre fabuleuse destinée! clame la petite Suzie, sur une note digne d'un pinson.

Sophie Lafantaisie a raconté ses péripéties nocturnes au moins quarante fois en deux récréations. L'abominable gnome des fraises a une réputation d'enfer. Les amis de Sophie et même les amis des amis de ses amis ont accouru pour entendre leur propre prédiction, espérant obtenir eux aussi la promesse d'une rencontre fantastique.

Les élèves défilent devant Simon et choisissent leur bille. La pratique de la clairvoyance remplit mon camarade de frénésie et les mots sortent de sa bouche comme des bouquets d'artifice:

Guidé par une bourrasque
            [parfumée,
tu traverseras une tempête
            [de bas rayés.

— Suivant!

Sous la talle de trèfle
            [qui décore ton gazon
s'organise une invasion
            [de papillons.

— Suivant!

La chanson fredonnée ce matin
te permettra un jour de sauver
          [ton chien.

— Suivant!

— Il est en feu, commente Alex, installé à mes côtés. Qu'est-ce que j'ai raté? Je m'absente vingt-quatre heures et ce fanfaron a le temps de créer le club des abrutis?

— On t'a élu président, mentionne Simon entre deux envolées futuristes.

J'explique à Alex ce qui s'est déroulé pendant qu'il était parti à sa compétition de natation:

— Simon a décidé de devenir diseur de bonne aventure. Comme tu le vois, il a trouvé beaucoup d'intéressés...

En effet, la bannière accrochée sur la clôture disparaît derrière les nombreux visages intrigués et amusés autour de la table de pique-nique. Simon a beau produire une quantité stupéfiante de prophéties, la liste d'attente de son stand s'allonge toujours. Il ne perd rien de son ardeur:

Dans la soupe à l'alphabet
          [de ta grand-maman
se cache l'intrigue de ton premier
          [roman.

— Suivant !

De l'autre côté du continent
t'attend un ami sans dents.

— Suivant !

— J'ai calculé que pour répondre à la demande, il doit offrir une nouvelle révélation toutes les trente secondes, dis-je à Alex.

Celui-ci fronce les sourcils. Il ne laissera certainement pas Simon mener le bal dans la cour de récréation. Alors que le diseur de bonne aventure reprend son souffle entre deux consultations, son rival habituel vient inspecter la fameuse boîte de billes.

— Tu sais, Simon, si tes jouets commencent à te dicter des mots à l'oreille, il est peut-être temps de demander de l'aide…

Mon camarade éclate de rire. Il connaît les tactiques d'Alex. Et il est conscient que son sens de l'humour demeure son meilleur bouclier. Il s'empresse donc de répliquer :

— Voyons, Alex, je sais bien que j'ai affaire à une matière inanimée comparable aux neurones de ton cerveau.

Le fouineur ne bronche pas. Il reporte plutôt son attention sur les activités paranormales de Simon.

— Tu crois vraiment pouvoir prédire l'avenir ?

Le ton sous-entend : « Tu nous prends vraiment pour des idiots ! »

Simon riposte sous la forme d'une question :

— Pourquoi ? As-tu besoin de la date de ta prochaine déconfiture ?

Alex se tait. Il cherche probablement la remarque acérée qui lui permettra de tourner le stand de mon ami en farce ridicule. Déjà, son intervention a rendu les prochains visiteurs de Simon un peu hésitants. La file d'attente se dissout graduellement.

Sans le vouloir, Suzie apporte de l'eau au moulin du sceptique :

— Tout ce que Simon déclare devient réalité, comme par magie !

Alex n'attendait rien de mieux. Il commente bien fort, comme s'il voulait se faire entendre d'un bout à l'autre de la cour de récréation :

— Il en faut beaucoup plus pour m'impressionner, moi ! Je suis un scientifique. Les inventions issues de boules enchantées, ça ne m'intéresse pas. Il me faut des preuves, des vérifications, des certitudes!

Pour tenter de freiner l'invasion de doute qui secoue le public de mon copain, je glisse une pensée:

— Les grands scientifiques sont souvent des visionnaires, Alex.

Simon aime bien l'idée.

— Hé, c'est vrai ça, Chloé! Peut-être que je suis le prochain Einstein! Inspiré comme je le suis, je pourrais bouleverser le monde tel qu'on le connaît!

Je souris en imaginant mon rêveur favori transformé en réputé chercheur. Je visualise Simon en blouse blanche, penché au-dessus de ses expériences, ajustant sur son nez d'énormes lunettes tout en prononçant des formules mathématiques incompréhensibles. Ça lui irait plutôt bien!

Comme un prédateur en chasse, Alex rôde autour de la table et inspecte le matériel du devin. Intimidée, Suzie en profite pour déserter son poste d'admiratrice et se laisse entraîner par Sophie du côté des balançoires.

Alex ne rate jamais une occasion d'attirer l'attention. Il s'empare donc

d'une bille et la lance en l'air pour la rattraper au vol. Hop! Il la propulse à répétition, de plus en plus haut, et la récupère toujours sans peine. Hop! Hop! Tranquille, Simon cligne des yeux chaque fois que l'objet redescend vers sa table.

Tout en poursuivant son petit jeu d'adresse qui soulève des « Oh! » et des « Ah! » dans le public, Alex avance une proposition :

— Si tu réussis à prédire ce qui m'arrivera demain, je vais me charger de faire la promotion de tes talents. Je te donne ma parole.

Le piège m'apparaît aussi évident qu'un gros hameçon orné d'un ver frotté contre les mâchoires d'un poisson. Alex exigera une prédiction précise, devant témoins, pour s'assurer qu'elle ne se réalise pas. Il compte se payer la tête de notre devin et le transformer en charlatan. Même sans pouvoir divinatoire, je sais déjà que mon ami tentera sa chance. Répliquer à Alex est devenu un réflexe chez lui. D'ailleurs, sa réponse se veut franchement moqueuse :

— J'ai l'intention d'exploiter tes services à fond, mon cher Alex ! J'ai justement besoin d'un clown comme mascotte. Mais il n'est pas trop tard pour changer d'idée...

Alex envoie sa bille vers le ciel une dernière fois, avant de l'enfermer dans son poing, qu'il présente à Simon :

— Je veux des faits vérifiables, pas les balivernes que tu sers aux autres.

Mon ami accepte la bille sans broncher. Avec cérémonie, il la place devant son nez. Ensuite, il médite... Le temps s'étire. Je me demande si Simon est à la recherche d'un plan génial, ou s'il essaie seulement d'impatienter son rival.

Finalement, sa voix, aussi basse que la vibration d'un didgeridoo, se fait entendre :

À 11 h 32, guidé par une voix,
tout en bleu l'amour te surprendra.

Alex sursaute presque en entendant cette déclaration, mais il parvient tant bien que mal à camoufler sa surprise. Je m'attendais à ce qu'il s'empresse de critiquer le message de la boule de cristal. Au contraire, il garde le silence et hoche la tête, pensif. Se pourrait-il qu'Alex le fendant soit un romantique dans l'âme ? Et que son avenir amoureux lui apparaisse plus prometteur qu'il ne s'y attendait ?

Simon déclare que cette prédiction met fin à ses activités pour la journée et les élèves retournent à leurs distractions habituelles jusqu'à la fin de la récréation. Je suis bien contente, car une question me torture la langue :

— Cette histoire d'amour, c'est une stratégie pour prendre Alex à son propre jeu, n'est-ce pas ?

Mon ami se contente de répondre :

— C'est bien possible.

Ça ne me suffit pas. Je veux connaître le reste du plan, découvrir comment on ripostera aux grands airs du scientifique prétentieux. Cette prédiction doit se réaliser à tout prix ! J'élabore déjà la construction d'un costume de bonhomme-sandwich que nous forcerons Alex à porter pour promouvoir les activités de Simon. Mais la victoire n'est pas encore acquise...

— Simon, nous avons moins de vingt et une heures pour nous assurer qu'Alex rencontrera l'amour au bon moment. Qu'est-ce qu'on va faire ?

— Rien du tout.

5

Opération
coup de foudre

En faisant appel à toutes mes connaissances en mathématiques, j'en arrive à la conclusion que les chances qu'Alex tombe sous les flèches de Cupidon à 11 h 32 demain sont infinitésimales.

Sur le chemin du retour de l'école, j'ai tenté de faire réagir Simon. C'est peine perdue : mon ami a décidé de laisser la chance faire son œuvre. Quelle étrange façon d'affronter Alex! Je commence à redouter que cette histoire de bonne aventure soit en train de lui embrouiller les idées.

— Simon, tu ne veux pas me faire avaler que tu peux véritablement connaître l'avenir d'Alex, quand même!

Il me rassure:

— Bien sûr que non! Je ne suis pas un vrai devin... Je suis seulement inspiré, c'est tout! En même temps, je crois vraiment que nous influençons notre destin en fonction de nos attentes...

Simon n'a pas tort: il est vrai qu'en souhaitant qu'un événement se produise, il arrive qu'on le provoque, sans même s'en apercevoir. Le gnome des fraises s'est glissé dans le rêve de Sophie parce qu'elle s'est endormie sur la promesse d'une belle rencontre. Alors, si Alex croit que l'amour l'attend au tournant, il pourrait bien l'y trouver.

Et alors? Suis-je obligée de patienter passivement pour autant? Certainement pas! Pendant que le futur se transforme en présent, j'ai besoin d'action, moi!

Lorsque j'arrive à la maison, j'ai déjà pris une résolution: je vais surprendre

Alex et le reste de l'école en organisant un coup de foudre mémorable, demain à 11 h 32. Cette fois, j'ai mon propre plan. Et je vais le réaliser, avec ou sans Simon.

D'abord, il me faut influencer la flamme d'Alex. Ce n'est un secret pour personne : notre grand sportif a le béguin pour Zoé Larivière, la capitaine de mon équipe de ringuette. Quand elle apparaît, il tourne au rouge, se gratte sans raison et oublie même d'être prétentieux. Je vais proposer à Zoé de porter son uniforme pour aller à l'école, demain, question de renforcer notre esprit d'équipe. Par chance, le chandail des Hirondelles de Val-Bon-Vent est... bleu.

Ensuite, mon oncle Benoît doit entrer en jeu. C'est le gérant du Rendez-vous des sportifs, le restaurant le plus dynamique en ville. L'endroit n'est pas très romantique, mais pour un nageur et une joueuse de ringuette, ce sera le décor rêvé pour se découvrir des points en commun. Je dois obtenir un repas pour deux personnes de mon choix, quitte à y investir une part de mes économies. C'est pour une bonne cause, après tout !

Finalement, il me faudra entourlouper notre directrice, madame Jaqueline, qui nous présente ses mémos chaque jour... à 11 h 30, pile-poil. Je devrai trouver le courage, la ruse et la rapidité nécessaires pour glisser mes notes dans sa pile de messages avant qu'elle ne les annonce à l'interphone.

Ouf! J'ai déjà hâte à demain! Si j'avais une boule de cristal sous la main, je serais vraiment tentée de jeter un coup d'œil curieux sur le fruit de mes efforts... mais le futur n'est pas si accessible! Tout ce dont je suis certaine, c'est que je suis aussi déterminée qu'une araignée travaillant à tisser une toile compliquée, un fil à la fois.

6

Alex voit la vie en bleu

— **C**hloé, reviens parmi nous!

— Hein?

— Chloé! Tes ronflements font craquer les murs!

Simon me ramène à la réalité en m'éventant à l'aide de son cahier d'exercices. J'ai bien failli m'assoupir pour de bon, au beau milieu de notre cours d'anglais. Heureusement, le reste de la période est consacré à un travail d'équipe et ma somnolence ne me cause pas d'ennuis.

Je n'y peux rien : j'ai le cerveau en compote. Les préparatifs de mon Opération coup de foudre m'ont tenue éveillée bien plus tard qu'à l'habitude. Ce matin, j'ai dépensé toute l'énergie qu'il me restait à mettre mon plan à exécution.

— Qu'est-ce qui t'arrive ? s'inquiète Simon. Tu ressembles à un zombie condamné à regarder un documentaire sur l'empaquetage des navets.

Je trouve la force de sourire en entendant cette comparaison. La question de mon meilleur ami me laisse croire qu'il n'a rien relevé de mes stratagèmes pour rapprocher Alex et Zoé. L'idée me plaît : pour une fois, c'est moi qui tire les ficelles d'un bon tour. Je choisis donc de mentir :

— J'ai mal dormi, parce que les chats du quartier ont décidé d'organiser une chorale sous ma fenêtre.

— Ah… Il fallait leur répondre en hurlant comme un chien.

Oui, Simon ignore vraiment tout de ce qui m'a occupée depuis que nous nous sommes quittés, hier après-midi. Heureusement, tout est sous contrôle. Zoé porte fièrement son chandail bleu, en digne capitaine de son équipe. Les invitations au restaurant adressées aux futurs amoureux reposent dans leur enveloppe, accompagnant mon faux mémo. Ma première expédition clandestine dans le bureau de madame Jaqueline, justifiée par un incontrôlable besoin d'aller au petit coin, s'est déroulée sans anicroche. Jusqu'à maintenant, le vent de la chance souffle de mon côté.

Il ne me reste plus qu'à attendre 11 h 30. Le cours se déroule au ralenti et les simagrées de Simon ne suffisent pas à détourner mon attention de l'horloge. Pour passer le temps, j'examine Alex, l'acteur principal de ma mise en scène. Il semble calme, mais sur ses gardes. Aurait-il peur de tomber amoureux ? S'attend-il à une attrape ?

Enfin, l'interphone grésille, annonçant l'intervention tant attendue :

— Bonjour à tous et à toutes, voici vos informations du jour.

Madame Jaqueline toussote et entreprend de déchiffrer l'horaire du gymnase à voix haute. Le menu de la cantine scolaire ne m'a jamais paru aussi interminable. Lorsqu'elle en arrive aux événements spéciaux, je tends l'oreille plus attentivement, et j'assassine presque Simon du regard, parce qu'il travaille à un spectacle de marionnettes en gommes à effacer au lieu d'écouter.

— Le restaurant Le rendez-vous des sportifs a choisi de récompenser les jeunes engagés dans la promotion de l'activité physique auprès de leurs pairs. Cette semaine, deux d'entre eux sont invités à se régaler d'un bon repas gratuit. Les chanceux se trouvent dans la sixième année de madame Christine.

Mes camarades de classe se dévisagent, intrigués. Plusieurs se tournent naturellement vers Alex, qui se trémousse sur sa chaise, plein d'espoir. La possibilité de gagner un prix le met en alerte. J'espère que dans cette excitation, il oubliera de se méfier.

Madame Jaqueline fait languir notre classe :

— Il s'agit... de... oups! Attendez, j'ai échappé mon mémo. Ah! Le voilà! Les gagnants sont Alex Legrand et Zoé Larivière. Nos grands sportifs méritent bien cet honneur ! Je les attends à mon bureau pour leur remettre leur certificat.

Alors que les heureux récipiendaires cheminent côte à côte vers la porte du local pour se rendre au bureau de la direction, la classe explose en applaudissements. À première vue, les élèves semblent féliciter les gagnants. En fait, nos camarades sont tous informés de la prédiction de Simon. Ce qu'ils soulignent bruyamment, c'est de voir à l'heure prévue Alex disparaître avec Zoé, laquelle est miraculeusement vêtue de bleu.

Notre enseignante nous ramène au calme, car les messages de madame Jaqueline ne sont pas terminés :

— J'aimerais aussi m'entretenir avec Chloé Auclair. Elle me rendrait service en se présentant à mon bureau avant l'heure du dîner. Merci, bonne journée !

Oh là là ! Notre directrice m'a peut-être remarquée en train de fouiller dans ses mémos. Dans quels beaux draps me suis-je mise ? Au moins, personne autour n'a prêté attention à cette demande spéciale. Même Simon ne me pose pas de question, trop occupé à imaginer Alex et Zoé en tête-à-tête… exactement comme il l'avait prédit!

Le son de la cloche me fait tressaillir. Je n'attends même pas l'autorisation de madame Christine avant de me précipiter au secrétariat. Dans le corridor, je croise les gagnants, qui s'extasient de leur chance incroyable. Ils devraient me remercier, mais bien sûr ils l'ignorent.

Madame Jaqueline me reçoit et m'invite dans son bureau. À ma grande surprise, elle a l'air d'excellente humeur :

— Je viens de téléphoner au Rendez-vous des sportifs et j'ai parlé à ton oncle Benoît. Il m'a raconté comment cette idée de prix lui a été suggérée. Il s'agit d'une bien belle initiative, Chloé. Bravo!

Eh bien! Cette rencontre ne s'annonce pas trop mal, jusqu'ici. Je suis quand même trop énervée pour répondre quoi que ce soit. Je laisse donc madame Jaqueline poursuivre :

— Il m'a même expliqué comment les élèves méritants ont été sélectionnés. Alex et Zoé étaient assez étonnés lorsqu'ils ont reçu leur certificat : la date et l'heure du souper avaient déjà été choisies… de même que la table qu'ils devront partager.

54

Bon, d'accord, j'y suis allée un peu fort... Cela dit, je parie qu'ils n'étaient pas trop mécontents !

La directrice me lance un regard sérieux, et surtout suspicieux.

— J'ai l'intuition qu'une manigance se cache derrière cette belle récompense...

Si j'avais accès à une potion magique pour disparaître, j'en avalerais un tonneau sans hésiter pour me sortir de cet embarras. Puisque je suis devenue muette, madame Jaqueline ajoute encore :

— Je te demande simplement de venir me consulter, la prochaine fois, avant d'écrire mes mémos. C'est mon boulot, après tout !

Je me contente de murmurer :

— D'accord.

Lorsqu'elle me souhaite bon appétit, c'est un peu comme si elle me libérait d'un lourd fardeau. Maintenant que tout ennui majeur est écarté, je peux apprécier mon œuvre : je viens de détourner le destin !

7

L'avenir goûte
le chocolat

À la sortie du bureau de la direction, aucune oreille complice n'accueille mon émoi. Lorsque j'entre dans le gymnase après avoir récupéré ma boîte à lunch, l'espace réservé aux élèves de sixième année est déjà bondé, Simon au centre, fier comme un roi présidant un somptueux banquet.

Pour la première fois depuis le début de l'année scolaire, je mange mon repas toute seule. L'absence de compagnie rend ma fatigue encore plus lourde et je finis par m'endormir, une joue plaquée contre la table.

— Préparez-vous, moussaillons! La lutte sera terrible...

J'ouvre les yeux pour trouver Sophie Lafantaisie à mes côtés. Elle a profité de mon somme pour transformer mon bol de crudités en bateau de pirates.

— À l'attaque! s'écrie-t-elle en utilisant mes radis comme boulets de canon.

Rien de tel qu'un bombardement de légumes pour vous revigorer. Soudain, je me rends compte que nous sommes seules dans la grande salle. Presque seules, en fait: il y a aussi Martin Michagrin, qui gaspille son temps à transformer une serviette de table en confettis, et le concierge, qui a déjà commencé le nettoyage des tables. Il est vraiment temps de gagner la cour de récréation. Sophie m'aide à remballer les restes de la bataille navale et nous nous rendons à l'extérieur.

Suzie court à notre rencontre. Elle déborde de joie en nous présentant un bout de papier jaune décoré d'étoiles, sur lequel je reconnais l'écriture élancée de mon meilleur ami.

— Qu'est-ce que c'est? demande Sophie.

— Son autographe! C'est Alex qui les distribue. Maintenant, il est persuadé que Simon est un grand divin!

Je m'empresse de rectifier l'éloge de la petite « groupie » :

— Tu veux dire : un grand devin.

Suzie ne me répond même pas. Elle repart déjà en sautillant vers le stand de son diseur de bonne aventure préféré. Alex Legrand s'est transformé en jongleur pour le bon plaisir des élèves qui s'agglu-tinent autour de la scène. Tout en manipulant les billes, il invite ses spec-tateurs à faire appel aux services de Simon. Alex a trouvé un moyen bien élégant de livrer la promotion promise tout en tirant profit de la situation. On le comprend en notant l'intérêt soudain de Zoé pour la jonglerie... La belle capi-taine ne quitte pas la performance des yeux, malgré les gloussements moqueurs d'une bonne partie de notre équipe de ringuette.

Au milieu de cette frénésie, Simon est toujours au poste, accueillant les nouveaux visiteurs. Je suis surprise de constater que sa boîte de billes a disparu.

— Tu as épuisé ta réserve de boules de cristal? dis-je en m'approchant.

Il lève la tête et s'étonne de ne pas m'avoir vue avant:

— Qu'est-ce que tu fabriquais? Je commençais à croire que madame Jaqueline te gardait en otage dans son bureau!

— Et tu n'es pas venu à ma rescousse?

Avant que mon ami ait le temps de formuler une réponse, son attention est détournée par un nouvel intéressé.

— Tu veux connaître ton avenir? lance-t-il au garçon.

Ce dernier acquiesce et présente une palette de chocolat... que Simon s'empresse de déballer. Il brise la sucrerie en morceaux, en place un dans sa bouche et se concentre. Puis, comme d'habitude, il fait sa prédiction:

Lorsque les étoiles te souriront,
il sera temps de polir ton accordéon.

Le garçon repart en murmurant sa révélation pour la mémoriser, alors que le performeur se lèche les babines. Stupéfaite, je demande des comptes:

— Qu'est-ce que c'est que ces méthodes? Tu déchiffres le futur dans le chocolat, maintenant?

— Pourquoi pas? rétorque Simon. J'accepte aussi la réglisse et les caramels.

Je suis tout à fait indignée.

— As-tu conscience de ce que tu soutires à tes visiteurs? C'est comme s'ils te payaient pour obtenir tes services!

— D'abord, je n'ai rien exigé, réplique Simon. Ce sont eux qui me bombardent de toutes ces gâteries alléchantes! Et puis, si mes déclarations rendent service aux gens, je ne vois pas pourquoi je ne serais pas récompensé. Même Alex reconnaît mes talents de clairvoyance, à présent. J'ai bien l'intention d'en profiter!

Quel culot! Je me penche au-dessus de la table et je déclare, seulement pour Simon:

— J'aimerais t'informer, Monsieur Surprenant, que j'ai contribué aux amours d'Alex, et de manière beaucoup plus active que toi!

Simon garde son sourire confiant et proclame:

— Je le savais bien! J'étais certain que tu t'en mêlerais. C'est pour cette raison que j'ai décidé de m'en remettre à ma bonne fortune!

Autrement dit, Simon s'est servi de mes bonnes intentions pour bâtir sa gloire. Pire, trop occupé à épater la galerie, il ne se rend même pas compte que son attitude me torpille le cœur. C'en est trop. Il ne me reste qu'une chose à lui dire :

— Simon, si le futur n'a pas de secret pour toi, jettes-y donc encore un coup d'œil. Tu y verras peut-être une ombre sur notre amitié.

Étouffée par la colère, je m'enfuis, laissant le devin à ses chocolats.

8

La chocolatite aiguë

Des pas résonnent dans mon dos, suivant une cadence de plus en plus rapide. C'est Simon qui tente de me rattraper avant d'arriver à l'école. J'en suis certaine.

— As-tu déjà entendu parler de la chocolatite?

Je ne réponds rien, mais je ralentis pour lui laisser le temps de me rejoindre. Il continue :

— La chocolatite, c'est un malaise qui surgit lorsqu'on s'empiffre avec du chocolat qui ne nous appartient pas. C'est très inconfortable.

De la part de Simon, de telles balivernes ont la valeur d'excuses. On dirait bien que ma sortie d'hier a secoué les fibres amicales de ce grand étourdi. D'un coup d'œil mi-rieur, mi-hautain, je lui signifie que j'accepte la paix proposée.

À l'entrée de la cour d'école, en ce jeudi matin, nous avons droit à un comité d'accueil. Zoé s'avance vers Simon et lui présente... une gigantesque boîte de chocolats. Encore des offrandes sucrées !

— C'est en quel honneur? demande-t-il.

Notre camarade de classe hésite quelques instants, légèrement embarrassée, puis balbutie :

— J'aimerais juste savoir quoi attendre de ce tête-à-tête au restaurant avec Alex.

Simon glisse un regard complice dans ma direction en déclarant :

— Zoé, je serai heureux de t'aider, mais tu peux garder ton cadeau. J'ai décidé de retourner à mes anciennes pratiques et de ressortir ma boîte de boules de cristal.

Mon ami gagne son poste habituel et laisse la capitaine des Hirondelles choisir sa bille. Dès qu'elle dépose sa petite boule claire dans la main du diseur de bonne aventure, celui-ci est transporté par l'inspiration. Il chante presque en annonçant :

Il est fini, le temps des poèmes
[et des roses,
une vraie romance commence
[par une frite sauce.

Zoé soupire de soulagement, comme s'il était question de ses chances de survie. Cependant, elle refuse de reprendre ses friandises. Toujours préoccupé par le risque de contracter une nouvelle chocolatite, Simon me consulte :

— Qu'est-ce que j'en fais, alors ?

— Hum... Tu peux me les offrir, suggère une voix enthousiaste.

C'est celle de Martin ! Est-ce bien là notre grognon pessimiste qui broie du noir en quantité industrielle à longueur de journée ? Il semble que nous soyons maintenant dignes d'intérêt à ses yeux. Je partage mon étonnement :

— Ça alors! Martin, es-tu en train de nous dire que tu AIMES le chocolat?

Simon prend le relais:

— C'est bien la première fois que tu manifestes un sentiment positif en notre présence. Tu te sens bien? Je peux t'appeler une ambulance, si tu veux...

Le visage de Martin se plisse dans une expression maussade: cette intrusion dans ses états d'âme le contrarie, c'est clair. Pourtant, pendant quelques secondes, j'ai vu dans ses traits le dédain céder la place à l'envie. Mais cette flamme s'est déjà éteinte: le voile de l'indifférence masque de nouveau les pensées du garçon.

De toute façon, Simon a vite fait de trouver une autre idée pour disposer de ses petites douceurs.

— Suzie, j'ai une mission pour toi...

La gamine bondit vers son idole et se place au garde-à-vous: elle ferait n'importe quoi pour être impliquée dans les projets du diseur de bonne aventure. Simon lui explique ce qu'il attend d'elle:

— Pendant que les élèves patientent pour obtenir leur prédiction, pourrais-tu leur offrir une gâterie?

Suzie ne se fait pas prier. Je dois admettre que l'idée est charmante. J'ai presque envie d'aller faire la file, moi aussi, pour goûter au riche arôme chocolaté des histoires de Simon.

9

Déchirures
et malédiction

En après-midi, alors que Suzie devance tout le monde au pas de course pour offrir des chocolats, elle s'arrête subitement et pousse un cri d'alerte. Ce signal provoque un rassemblement instantané devant le stand de bonne aventure.

Nous découvrons une triste scène : l'enseigne de Simon, notre époustouflante création, a été réduite en pièces !

Les restes ont été répandus autour de la table de pique-nique.

— C'est scandaleux! fulmine Suzie.

— Une si belle affiche, commente Sophie, toute chagrine.

Je ne suis pas tant navrée qu'intriguée:

— Je me demande qui a bien pu faire ce sabotage...

Naturellement, nous pensons à Alex: l'éternel rival de Simon partage difficilement sa place sous le soleil. Pourtant, ces jours-ci, le champion n'a pas trop l'esprit à la domination. Lorsque nous le rejoignons pour l'interroger, nous le trouvons à plat ventre sur un banc, en train de démontrer les finesses de sa technique de brasse à Zoé et ses copines. Tout en nageant dans l'air, il nous répond de manière claire et sincère:

— Simon, quand j'ai envie de te faire mordre la poussière, je le fais en personne. C'est une question de principes.

Nous laissons donc Alex retourner à ses leçons de natation aérienne. Suzie et Sophie ont ramassé tous les lambeaux de banderole et s'emploient à la reconstituer comme s'il s'agissait d'un casse-tête géant. Plusieurs élèves contribuent à la tâche et des dizaines de mains manipulent les morceaux. Les mots réapparaissent petit à petit, jusqu'à ce qu'un léger coup de vent vienne bouleverser ces démarches.

— Ça nous fait une belle tempête de confettis! s'émerveille Sophie.

Je me rappelle alors avoir vu Martin Michagrin réserver le même traitement à ses serviettes de table, plus tôt cette semaine. Je parcours les environs du regard pour repérer mon suspect. Le voilà, adossé au mur près des portes du gymnase, écrasant des cailloux sous ses souliers. Malgré l'air détaché qu'il s'est composé, j'ai la certitude qu'il nous observe attentivement.

Je marche dans sa direction pour le prendre d'assaut sans lui laisser le temps de s'enfermer dans sa coquille. Sans introduction, je fonce droit au but :

— Je sais que c'est toi qui as détruit la banderole de Simon. J'espère que tu as une bonne raison.

Martin ne répond rien, mais il soutient mon regard. C'est déjà mieux que de m'adresser à un mur. J'en profite pour renchérir :

— Si ses idées t'énervent tant que ça, il y a de meilleures façons de le lui laisser savoir.

Il hausse les épaules, toujours sans rien dire. Je cherche les mots qui le feront réagir.

— Pour se faire des amis, il existe des méthodes tellement plus efficaces…

Cette fois, j'ai appuyé sur le bon bouton. J'obtiens un effet instantané. Martin explose :

— Des amis, j'en avais des tonnes avant d'arriver ici. Tu ne sais pas de quoi tu parles, alors mêle-toi de tes affaires!

Je juge qu'il est temps de battre en retraite. Avant de retourner auprès des autres, j'ajoute, doucement:

— En tout cas, si tu changes d'humeur, tu sais où nous trouver. On ne s'attend même pas à ce que tu t'excuses. En plus, il reste du chocolat...

Du côté de la table de pique-nique, on s'active à ramasser les pièces de papier virevoltantes pour les empiler. Tout en me joignant à l'effort du groupe, j'essaie de ne pas perdre Martin de vue. Je suis ravie de constater qu'il m'a suivie. Il ne faut pas crier victoire trop vite, mais je crois bien avoir semé quelques bribes d'intérêt dans l'esprit de ce garçon solitaire.

— Ça y est, note Sophie, votre bannière s'est transformée en montagne.

Martin choisit ce moment précis pour nous surprendre tous, sans exception. Il s'avance au milieu du groupe, cueille une partie de l'œuvre déchiquetée dans ses mains jointes et se dirige vers la poubelle. Je crois qu'il vient faire la paix en nous aidant à nettoyer. Je déchante lorsqu'il marmonne :

— Voilà où il devrait aller, votre avenir : dans les vidanges.

Il sépare ses paumes et une pluie colorée se répand à travers les déchets.

— Pourquoi as-tu fait ça ? s'indigne Simon.

Pour toute réponse, Martin nous offre un nouveau haussement d'épaules. Encore une fois, il nous fait savoir que nous ne valons pas la peine d'une explication. Maintenant, il s'apprête à repartir comme il est venu, à la manière d'un ouragan qui cède la place à la désolation après avoir provoqué un désastre. Simon comprend finalement comment son enseigne a été détruite. Il ne compte pas laisser le coupable tirer sa révérence aussi facilement. D'un ton moqueur, il improvise une prédiction :

Martin Michagrin, il est temps
[de disparaître,
avant qu'au matin, la malchance
[ne t'embête...

Tout le monde se tait.

Nourri par le silence qui s'étire, un curieux malaise s'installe. C'est difficile à supporter pour mon pauvre ami, qui était convaincu de provoquer la rigolade en lançant sa boutade. Je n'ai jamais été aussi soulagée d'entendre la cloche mettre un terme à la récréation.

Tout en marchant, Simon me chuchote ses inquiétudes :

— Chloé, qu'est-ce qui se passe ? J'ai l'impression qu'on évite de me regarder en face. Même Suzie a pris ses distances. Je ne suis pourtant pas le méchant, dans cette histoire ! C'est mon projet qui vient de subir le vandalisme de Martin, après tout !

Je sais que Simon n'a pas voulu mal faire, mais je crois bien qu'il a complété le désenchantement amorcé par Martin, sans même s'en rendre compte. Je m'efforce de lui présenter les événements sous un angle différent :

— Essaie de te mettre à la place de nos amis, Simon. Depuis lundi dernier, ils t'entendent inventer des destinées et tes annonces ont transformé la réalité, d'une certaine manière. Ils croient que tes prédictions se réalisent. Et voilà que tu prédis la disparition d'un élève. Tu ne t'attends quand même pas à ce qu'ils rient ?

Simon blêmit alors que ses propres déclarations le rattrapent.

— Oh non! Chloé, tu as bien trop raison! Je viens de prononcer ma première malédiction!

10

L'escouade
anti-disparition

Il n'est jamais agréable de se rendre compte que nos paroles ont dépassé nos pensées. Si en plus une partie de l'école s'imagine que vos mots sont dotés de pouvoirs divinatoires, la situation devient carrément intolérable. Je comprends pourquoi Simon affiche une mine si déconfite à la sortie des classes. Il soupire sans arrêt.

— Je sais bien que Martin ne va pas disparaître simplement parce que je l'ai prédit. Mais quand même, tu t'imagines ce qui m'attend si ma farce provoque une fatalité? On se souviendra de moi comme l'oiseau de malheur de l'école Val-Bon-Vent...

Je m'inquiète aussi pour Martin Michagrin. Depuis qu'il est arrivé à l'école il y a quelques semaines, il s'est volontairement effacé, comme s'il voulait être parmi notre groupe sans en faire partie. Et Simon, en faisant allusion à sa disparition, a peut-être exprimé à voix haute ce que Martin souhaite au plus profond de lui-même.

Pour minimiser les effets de cette malédiction et, surtout, lui permettre de retrouver son calme, Simon n'entrevoit qu'une seule solution :

— Je dois veiller sur Martin. Je vais m'assurer que mes révélations ne soient rien d'autre que de simples paroles.

Je lui propose aussitôt mes services en tant que meilleure amie et espionne amateur.

Heureusement pour nous, Martin excelle dans l'art de se traîner les pieds et quitte l'école un peu tard, pour moins risquer de trouver de la compagnie sur son chemin. Nous sommes dissimulés derrière une clôture lorsqu'il apparaît, avançant à pas de tortue, tirant son sac d'école comme s'il s'agissait d'un fardeau encombrant. Nous arrivons facilement à organiser notre filature en lui laissant deux bons coins de rue d'avance.

— Tu crois qu'on arrivera avant la nuit ? rigole Simon.

— Ce n'est pas le temps de se moquer, si on ne veut pas perdre la trace de notre protégé.

Celui-ci vient d'emprunter un raccourci à travers un parc parsemé d'érables. Les arbres nous fournissent d'excellentes cachettes. De l'autre côté, Martin traverse la rue et s'engage dans une allée fleurie menant à une petite maison de briques grises. Il tire une clé de sa poche. Je remarque qu'il a toujours l'air renfrogné qu'on lui connaît bien.

— Voilà Martin sain et sauf à la maison, dis-je. Je crois que nous en avons assez fait. Rentrons !

Mais je sais déjà que Simon n'est pas satisfait.

— Attendons un peu… Qui sait s'il ne sera pas victime d'un cambriolage ou d'une pluie de météorites?

Je tente de raisonner mon copain comme je le peux. Trop tard : il aperçoit un mouvement à travers une fenêtre et décide d'aller vérifier si c'est l'ombre de Martin. Évidemment, il a besoin de moi… pour lui faire la courte échelle, car la fenêtre en question se trouve à plus d'un mètre au-dessus de sa tête. Nous sommes donc à découvert, exécutant des acrobaties sous un châssis.

En faisant tous les efforts possibles pour le soutenir dans les airs, je demande un compte rendu :

— Et alors?

— Je ne vois personne, déclare Simon en oubliant de baisser la voix. Un ordinateur est allumé. Je distingue un sac à dos ouvert, des pommes et un jeu d'échecs sur le lit. Je crois bien qu'il s'agit de sa chambre… Savais-tu que Martin jouait aux échecs? Oh! Attention!

Simon plie les genoux pour se cacher. Prise au dépourvu par ce mouvement subit, je perds l'équilibre et nous aboutissons dans une haie de cèdres. Cette chute dans la haie nous procure un bon refuge, le temps de reprendre nos esprits. Elle nous empêche aussi d'être repérés lorsque la porte d'entrée s'ouvre.

— Martin s'en va! s'inquiète Simon.

En effet, le garçon est déjà rendu de l'autre côté du parc, son sac au dos, avançant d'un pas beaucoup plus énergique, cette fois. Nous nous relançons à sa poursuite, moins agiles après notre plongeon dans les buissons. En arrivant à l'intersection du boulevard des Érables, nous constatons, à bout de souffle, que nous avons perdu notre piste: pas de Martin dans les parages.

Simon cherche encore.

— Il n'a pas pu disparaître aussi facilement!

— Je ne te rendrai certainement pas ce service...

Nous sursautons. Martin se trouve derrière nous, caché dans une cabine téléphonique.

— Ça ne vous suffit pas de m'ennuyer à l'école? nous reproche-t-il, furieux.

Je cherche en vain une formule adéquate pour expliquer notre excursion. Simon est plus rapide que moi :

— Je n'ai pas l'habitude d'annoncer des disparitions, alors j'ai décidé de t'offrir un suivi à domicile... et de m'excuser pour toute cette histoire, par la même occasion.

La réplique de Martin fend l'air comme une flèche :

— Ton histoire ne m'intéresse pas. Reste donc à l'extérieur de la mienne.

Sur ces dures paroles, le garçon attrape son petit bagage et fait son entrée dans un bâtiment aux grandes vitrines, orné d'une horloge.

— Viens, Simon. Ce n'est plus la peine d'insister.

11

Disparition
et soupçons

Depuis la maternelle, je n'ai pas vécu de vendredi plus maussade à l'école Val-Bon-Vent. L'ambiance lourde a pour cause l'absence de Martin Michagrin. Nous avons d'abord cru qu'il était en retard, comme à son habitude. Mais la matinée avance et les commentaires commencent à fuser :

— J'espère qu'il ne lui est rien arrivé de grave, murmure Zoé.

La voix tremblante de Suzie confère une note plutôt dramatique à ses suppositions :

— Et s'il ne réapparaissait jamais ? Il est peut-être transformé en statue ou enfoncé dans des sables émouvants...

— Des sables mouvants! Il n'y en a pas beaucoup en ville, fais-je remarquer.

J'ajoute que ce n'est pas la première fois qu'un élève s'absente de l'école, surtout un vendredi. Je le fais pour me montrer solidaire aux côtés de Simon, qui esquive de son mieux les nombreux regards accusateurs. Dans les conversations diffuses, les mots «malédiction» et «fatalité» reviennent un peu trop souvent. Je sais que mon meilleur ami se sent déjà coupable. Il n'a aucunement besoin de ces allusions.

Comme si le climat n'était pas encore assez tendu, madame Jaqueline fait une tournée des classes ce matin pour recueillir des informations au sujet de... Martin.

— Tout témoignage pouvant nous permettre d'établir ce que votre camarade de classe a fait au cours de la soirée d'hier nous sera utile. Certains parmi vous pourraient-ils nous aider?

Fusillé par les coups d'œil de ses voisins, Simon ne peut s'empêcher de se défendre:

— Je n'y suis pour rien, je vous le jure! déclare-t-il nerveusement.

Notre enseignante et notre directrice se consultent, visiblement étonnées. Avant que la situation devienne plus embrouillée et que Simon se condamne lui-même pour un crime qu'il n'a pas commis, je décide de m'en mêler :

— Je pense que je peux vous aider à retrouver Martin !

Le visage de madame Jaqueline s'éclaire, me laissant croire qu'elle se fait réellement du souci pour le garçon. En traversant la classe pour l'accompagner, j'attrape Simon au passage. Il détient, lui aussi, d'importants indices. De toute façon, il est hors de question que je l'abandonne au milieu de cette foule hostile.

Une dame est assise dans le bureau de notre directrice. Si elle n'a pas de sérieuses allergies, elle a probablement pleuré. Madame Jaqueline nous la présente comme étant la mère de Martin Michagrin. À ses côtés, un agent de police souligne notre arrivée d'un commentaire qui se veut encourageant :

— Toutes les pistes de recherche seront considérées.

Simon perd son sang-froid. Il n'attend même pas qu'on l'invite à s'exprimer.

Bafouillant des mots confus à une vitesse spectaculaire, le voilà qui déballe une histoire de billes, de prédictions, de jonglerie et de confettis. Tous les détails y passent, de l'abominable gnome des fraises à la boîte d'exquis chocolats.

— Je ne voulais pas nuire à Martin en lui annonçant qu'il allait disparaître, s'excuse-t-il en guise de conclusion.

À voir leur air interloqué, je saisis que les adultes ne savent pas vraiment quoi tirer de cette intervention. Je crois que c'est le moment de prendre la relève :

— Après la querelle de la banderole, nous étions un peu inquiets et nous avons décidé de veiller sur Martin jusqu'à ce qu'il arrive chez lui, après l'école…

Le regard attentif du policier m'incite à poursuivre.

— La dernière fois que nous lui avons parlé, il était près de dix-huit heures. Ensuite, nous l'avons vu entrer dans un édifice vitré, au coin du boulevard des Érables.

— En face du parc ?

— Oui. Là où il y a une grande horloge…

Madame Jaqueline intervient :

— Il s'agit du terminus d'autobus du quartier !

— Nous allons obtenir les détails sur l'achat des billets d'autobus, mentionne l'agent. Madame Michagrin, connaissez-vous les destinations qui pourraient intéresser Martin ?

La triste femme hausse les épaules, penaude. Elle doit admettre que depuis quelque temps, son fils unique ne semble pas vouloir se rendre bien loin. Sa chambre est son seul refuge.

L'inspecteur cherche à savoir si Martin portait des vêtements distinctifs et s'il trimbalait des bagages. Simon donne l'impression de se réveiller :

— Je suis presque certain que Martin transportait des fruits. Il y en avait sur son lit, près de son sac...

Notre directrice tente une déduction :

— De la nourriture ? Il aurait donc planifié sa fuite et préparé quelques provisions...

Sentant Madame Michagrin s'effondrer, l'agent s'empresse de préciser qu'aucune conclusion ne doit être tirée trop rapidement. Il importe d'abord de rassembler tous les renseignements possibles. Simon continue de se remémorer notre filature.

— Chloé, je suis persuadé que Martin a emporté autre chose. Aide-moi…

Je ferme les yeux et je fais un ultime effort pour me rappeler notre escapade. Lorsque je nous revois dégringoler dans les cèdres des Michagrin, le déclic espéré se produit :

— Un jeu ! Martin a placé un échiquier dans son sac !

Soudain, la mère du disparu s'anime :

— Il a emporté ses échecs ? s'enquiert-elle d'une voix fébrile. Dans ce cas, il comptait aller voir son grand-père. Puis-je utiliser votre téléphone ?

Madame Jaqueline lui tend déjà l'appareil et nous demande, à Simon et à moi, de sortir de son bureau. Nous obéissons… mais décidons de rester près de la porte. Nous pourrions toujours être interrogés de nouveau, mais à dire vrai, nous aimerions surtout capter quelques bribes de cet appel.

— Allô, maman ? commence madame Michagrin. Aurais-tu vu Martin depuis hier ?

— …

— Oui ?

Les sanglots étouffés de la mère se transforment en un rire nerveux, mais soulagé. Nous entendons encore :

— En congé d'école ? Qu'est-ce que c'est que cette histoire ?

— ...

— Non, ne lui dites rien, j'arrive... Assurez-vous qu'il ne quitte pas la maison.

Simon échappe un cri de victoire qui rappelle notre existence à notre directrice. Elle prend le parti de nous escorter jusqu'à la classe de madame Christine.

12

Les créateurs
d'avenir

Dans la cour de récréation, nous sommes assaillis de questions. Les élèves veulent savoir où se trouve Martin, s'il va bien, s'il va revenir bientôt, s'il est retourné à son ancienne école, s'il a été enlevé par des extraterrestres...

Beaucoup d'interrogations pour lesquelles nous n'avons pas toutes les réponses. Au moins, une certitude a été établie : quand madame Jaqueline nous a réintroduits en classe, elle a mentionné, devant tous et toutes, que notre aide avait été utile et que nous n'étions pas responsables des récents événements. Simon respire beaucoup mieux depuis. Je dois admettre que moi aussi.

Mon meilleur ami s'est même relancé dans la production d'idées géniales : il a décidé d'employer ses boules de cristal pour ramener Martin à l'école.

— Tu ne crois pas que tes billes en ont assez fait, cette semaine ? se moque Alex.

Suzie, redevenue fidèle partisane de son diseur de bonnes et de mauvaises aventures, s'engage aussitôt dans la défense de ce dernier :

— Si Simon veut prédire le retour de Martin, moi, je suis d'accord.

— Je compte faire mieux que ça, assure mon ami, probablement soulagé d'être retourné dans les bonnes grâces de sa jeune admiratrice.

Dans son sac, il récupère la grande boîte de chocolat, qu'on avait presque oubliée depuis l'histoire des confettis. Il l'ouvre et effectue le compte : elle contient toujours vingt-deux sucreries. Cela laisse dix-huit cellules vides...

— Dix-huit espaces à remplir, annonce Simon, d'un ton mystérieux.

Il sort aussi la boîte métallique où il garde ses précieux secrets. Il en tire le même nombre de billes. Une pour chaque trou marquant la disparition d'un chocolat.

Il s'empresse de distribuer ces petites boules de cristal aux élèves qui l'entourent. Elles trouvent toutes preneur.

— Vas-tu nous enseigner à révéler l'avenir? questionne Sophie, intriguée.

— Le futur ne m'appartient pas plus qu'à toi, répond Simon. C'est pour cette raison que je te confie l'une de mes fabuleuses sphères magiques. Je te demande d'y trouver ce que tu as envie de partager avec Martin cette année. Écris tes révélations sur un papier et viens les déposer avec ta bille, parmi les chocolats.

J'ai reçu une boule de cristal et je suis ravie de participer. Les amis de Martin, son ancienne école, sa première maison doivent lui manquer atrocement pour que nous lui semblions si insignifiants en comparaison. J'espère qu'en découvrant qu'il a une place dans notre avenir, il regrettera un peu moins ce qu'il a laissé derrière lui. En m'appuyant sur cette pensée, je formule ma prédiction pour Martin :

Quand les beaux jours d'été
        [te ramèneront vers ton passé,
nous peuplerons les nouveaux
        [souvenirs qui te feront rigoler.

Le projet sème des sourires tout autour et les élèves s'exécutent, si bien qu'à la fin, le couvercle du cadeau refuse de rester en place.

— Une collection de prédictions pour emporter, c'est trop génial ! clame Sophie Lafantaisie.

Je partage son enthousiasme. Si je recevais mon avenir dans un si bel emballage, ça me donnerait envie de croquer dedans à pleines dents.

Simon et moi commençons notre fin de semaine par un petit détour du côté de la maison grise habitée par la famille Michagrin. Personne ne répond lorsque nous frappons à la porte. Cela rend la mission « avenir chocolaté » beaucoup plus simple. Simon se contente de déposer notre présent sur le seuil. Une note est collée dessus :

*À Martin Michagrin, de la part
des élèves de l'école Val-Bon-Vent*

— Es-tu certain qu'il va l'ouvrir?

— Il reste vingt-deux délicieuses boules au chocolat dans cette boîte, me rappelle Simon. Notre gourmet ne pourra pas résister...

Cependant, une autre crainte titille mon esprit:

— Tu crois que Martin sera sensible à notre attention? Et si son indifférence était plus profonde que nous ne l'avons cru?

Simon répond avec la confiance d'un vrai visionnaire:

— Comment peux-tu encore douter de notre succès? Nous venons de lui préparer un futur agrémenté de chasses au flocon de neige parfait, de parties de volleyball sous-marines, de séances de dressage de libellules, de missions d'espionnage scolaire, de concours de sculptures en gomme à mâcher, de réunions de vampires anonymes, de constructions de châteaux en boîtes à jus, de pièces de théâtre jouées à l'envers... Et ce n'est que le début de nos projets!

Mon meilleur ami a bien raison : qui pourrait tourner le dos à de telles perspectives d'avenir ?

Table des matières

Marie Beauchamp

Marie a grandi dans un joli coin du Québec nommé les Hautes-Laurentides. Pendant ses études en histoire, elle a participé à plusieurs cercles de lecture organisés dans des centres communautaires montréalais. C'est ainsi qu'elle a découvert sa passion pour la littérature jeunesse.

Tout en voyageant, elle explore le monde des mots : elle a été monitrice de français à Terre-Neuve, stagiaire en alphabétisation au Sénégal et tutrice en Australie. Les icebergs, les baobabs et les kangourous l'ont beaucoup impressionnée, mais pas autant que les gens incroyables qu'elle a rencontrés. Depuis quelque temps, elle profite des espaces grandioses et sereins de la Basse-Côte-Nord.

Comme Marie se sent vraiment bien à l'école, elle a décidé d'entreprendre une carrière dans le domaine de l'éducation. Cette année, elle partage le plaisir d'apprendre avec les élèves de l'école Gabriel-Dionne, à Tête-à-la-Baleine.

Derniers titres parus dans la
Collection Papillon